Conforme à la loi 49.956 du 16 juillet 1949
sur les publications destinées à la jeunesse
N° d'éditeur : 10080460
ISBN : 2-09-210356-3
Dépôt légal : mai 2001
Impression et reliure : Pollina S.A., 85400 Luçon-N° L83567

Eddy fait des bêtises

Texte de Christian Lamblin
Illustrations de Régis Faller et Charlotte Roederer

NATHAN

Aujourd'hui, Eddy reçoit ses copains chez lui.

Vous allez d'abord goûter dans la cuisine.
Ensuite, nous jouerons ensemble dans le salon.

La maman d'Eddy sort un gâteau du réfrigérateur.

C'est un gâteau à la crotte de nez ! Et on l'a fait cuire dans mes chaussettes !
Ne commence pas à dire des bêtises !

Le téléphone sonne. Pendant que sa maman répond,
Eddy en profite pour faire des bêtises !

La maman d'Eddy revient dans la cuisine.

Mais... Qu'est-ce que vous faites ?
Ne te fâche pas. On s'amuse bien !
Moi, je vous aide. Je fais la vaisselle !
Venez dans le salon. On va jouer plus calmement.

Tout le monde s'assoit sur le tapis du salon.

J'ai une idée ! On va jouer à Super Gorille.
Mais non, Samira a apporté une boîte de jeux.

Eddy n'écoute pas sa maman.
Il commence à gesticuler en faisant des grimaces.

Samira ouvre la boîte... Mais pan ! Eddy le Gorille donne un grand coup de poing dedans.

Cette fois, Eddy, tu exagères ! Va dans ta chambre. Tu es puni !

Quelques minutes plus tard, Eddy revient, plus calme.

S'il te plaît, Maman, est-ce qu'on peut jouer dans ma chambre ? Je te promets d'être sage.
D'accord. Mais attention ! À la première bêtise, je me fâche pour de bon !

Mais dans la chambre, Eddy a déjà oublié sa promesse !

Je suis Superman ! Qui veut me combattre ?
Tu es plutôt super casse-pieds ! Nous, on n'a pas envie de se bagarrer.
On veut jouer avec l'avion de Jules !

Malheureusement, l'avion passe par la fenêtre.
Il reste accroché aux branches d'un arbre.

C'est pas grave ! On va lancer des trucs sur l'avion pour le faire tomber dans la rue !

Les filles hésitent. C'est sûrement interdit de jeter des choses par la fenêtre.

Sans se retourner, Eddy essaie d'attraper un objet pour le lancer sur l'avion.
Et voilà qu'il attrape... le gâteau de Samira !

Il le jette par la fenêtre.

MODELI

Soudain, Eddy s'éloigne de la fenêtre.
Son visage est tout pâle.

Le morceau de gâteau… il est tombé… il est tombé sur…

Il est tombé sur quoi ?
... sur la tête de la maîtresse !

Presque aussitôt, un coup de sonnette retentit.

DRIING !
C'est sûrement la maîtresse !

La maman d'Eddy ouvre la porte de la chambre.
Elle est furieuse.

Venez donc dans le salon.
Il y a quelqu'un
qui aimerait bien
vous parler...

Dans le salon, il y a... la maîtresse bien sûr !

Qui a lancé le gâteau ?

Personne ne répond, mais tout le monde regarde Eddy !

Je suis très triste. J'invite tes amis pour te faire plaisir, et toi, pour me remercier, tu ne fais que des bêtises !
Excuse-moi, Maman.

Plus tard, le papa de Jules vient chercher les enfants.

Est-ce que vous avez été sages ?

Pas très, Eddy a fait des bêtises !

En sortant de l'immeuble, Jules reçoit quelque chose sur la tête.

Ça alors ! Du gâteau ! C'est encore une bêtise d'Eddy !

Mais non, c'est une crotte d'oiseau.
Cet oiseau, c'est sûrement le copain d'Eddy !

MINIPRIX